# Le Bal des Douze Princesses

Ruth Sanderson

Editions Françoise Deflandre

Edition originale publiée par Little Brown and Company
sous le titre : *The Twelve Dancing Princesses*.

Dépôt légal : 3° trimestre 1994.

ISBN 2-84083-035-3
Loi du 16 juillet 1949
sur les publications destinées à la jeunesse.
Achevé d'imprimer en 1994.
Imprimé en Belgique.

A Maria

Un grand merci à Nan Hurlburt
pour ses costumes et sa grande connaissance des
danses du quinzième siècle.

Il était une fois un roi qui avait douze filles, toutes plus belles les unes que les autres. Les douze princesses dormaient dans douze lits placés ensemble dans une chambre immense. Lorsqu'elles allaient se coucher, leur porte était fermée avec trois verrous. Pourtant, chaque matin, on retrouvait leurs chaussures usées comme si on avait dansé avec toute la nuit. Quand le roi demandait aux princesses ce qu'elles faisaient la nuit, elles lui répondaient simplement qu'elles dormaient. Pourtant, leurs chaussures ne pouvaient pas s'user toutes seules !

Finalement, le roi fit proclamer dans tout le pays que le jeune homme qui découvrirait le secret des chaussures usées de ses filles pourrait choisir l'une des princesses pour épouse.

Il ne fallut pas longtemps avant que le fils d'un roi ne vînt tenter sa chance. Il fut bien accueilli au palais, et le soir venu, on l'installa dans une petite chambre contigüe à celle des princesses. On laissa entrouverte la porte entre les deux chambres afin qu'il puisse entendre tout ce qui se passait. Au matin, pourtant, le mystère demeurait entier. Les douze paires de chaussures étaient usées une fois de plus, et le prince lui-même avait disparu ! Le même sort frappa les nombreux princes qui suivirent.

Il arriva alors qu'un jeune roturier nommé Michel, cherchant fortune, voyageait à travers le pays. Un midi, alors qu'il faisait chaud, il dormait à l'ombre d'un arbre. Quand il ouvrit les yeux, il vit une vieille femme l'observer de la route.

— Mon garçon, où vas-tu donc ainsi ? demanda la vieille femme.

— Je traverse ce pays pour trouver du travail, et j'ai entendu parler du mystère des chaussures usées des princesses. J'aimerais découvrir leur secret et, pourquoi pas, épouser l'une d'elles !

— C'est bien. Je sais que le jardinier du château a besoin d'aide. Quant aux princesses, si tu attends le bon moment et si tu sais te servir de ton intelligence, tu auras peut-être plus de succès que les autres.

Elle sortit alors une cape de son sac, la tendit à Michel et lui dit : “Cette cape te rendra invisible et tu pourras suivre les princesses où qu'elles aillent.” Michel fut heureux de la chance qui s'offrait à lui. Il remercia la vieille femme et prit aussitôt la route du château.

Sitôt arrivé, Michel alla proposer ses services au jardinier. Celui-ci, ayant en effet besoin d'un aide, accepta d'engager Michel.

La première tâche de Michel fut de donner un bouquet à chacune des princesses, au moment où elles sortaient sur la terrasse en début d'après-midi. Chacune prit son bouquet sans même jeter un regard au garçon, mais la plus jeune, Line, le regarda avec admiration et s'exclama : “Oh, comme il est beau notre nouveau jardinier !”

Ses sœurs éclatèrent de rire, et l'aînée fit remarquer qu'une princesse ne devait jamais s'abaisser à regarder un jardinier.

Le doux visage de la jeune princesse incita Michel à tenter sa chance le soir même. N'étant pas noble, il n'osa se présenter devant le roi et décida d'utiliser la cape magique.

Lorsque les princesses montèrent dans leur chambre, Michel les suivit en silence et se cacha sous l'un des douze lits. Dès que l'on poussa les verrous, les princesses ouvrirent leurs armoires et leurs coffres. Elles bavardaient et riaient de plaisir en revêtant leurs plus jolies robes, et quand Michel risqua enfin un regard, elles chaussaient leurs nouveaux souliers de satin. L'aînée dit alors : “Vite, mes sœurs, nos cavaliers vont s'impatienter.” Elle frappa trois fois dans ses mains, et une trappe s'ouvrit dans le sol. Toutes les princesses descendirent alors un escalier secret et Michel, invisible sous sa cape magique, se hâta de les suivre.

Ils descendirent et descendirent encore, pour arriver dans une petite pièce dont la porte n'était fermée que par un loquet. Alors que Line descendait les toutes dernières marches, Michel marcha étourdiment sur sa robe.

— Que se passe-t-il ? Qui retient ma robe ? s'écria la jeune princesse.

— Ne sois pas stupide, ta robe a dû s'accrocher à un clou, lui répondit l'aînée.

Line jeta un dernier regard dans l'escalier vide et suivit ses sœurs.

Les princesses empruntèrent rapidement un chemin éclairé par des réverbères. Il menait à un bois superbe où les feuilles des arbres étaient pailletées d'argent. Elles traversèrent ensuite un autre bois, où les feuilles étaient saupoudrées d'or.

Les princesses bavardaient avec animation, mais Line demeurait silencieuse et mal à l'aise. Elle traversèrent enfin un troisième bois, où les feuilles couvertes de diamants étincelaient dans la nuit.

Elles arrivèrent bientôt au bord d'un grand lac. Sur la rive se tenaient douze princes qui aidèrent les princesses à monter à bord de douze bateaux blancs aux silhouettes de cygnes.

Lorsque Line embarqua sur le dernier bateau, Michel se glissa derrière elle. Les douze princes prirent les rames et les bateaux glissèrent sur l'eau. Toutefois, celui de Line était lourd et restait loin derrière les autres.

— Nous n'avons jamais avancé avec une telle lenteur, que se passe-t-il ? demanda Line.

— Je vous assure que je n'en sais rien, je rame de toutes mes forces, lui répondit le prince.

Un palais magnifique se dressait sur la rive opposée, ne ressemblant en rien à ce que Michel avait déjà vu ou imaginé. Il était somptueusement éclairé, et il s'en échappait une musique entraînante. Peu de temps après les bateaux accostèrent. Les princes offrirent le bras aux princesses et les escortèrent vers le palais.

Toujours invisible sous sa cape, Michel admirait la grâce et la beauté des princesses. Les unes étaient blondes, les autres brunes, mais celle qui le fascinait était la princesse Line. La danse faisait ondoyer sa longue chevelure soyeuse, ses joues étaient roses et ses yeux étincelants. Il était clair que plus que tout, elle aimait danser !

Michel enviait le cavalier de Line, mais pourtant, il n'avait pas lieu d'en être jaloux.

Ces jeunes gens n'étaient autres que les princes qui avaient tenté de découvrir le secret des princesses. L'aînée leur avait donné à boire, chacun leur tour, un breuvage qui avait glacé leur cœur et ne leur avait laissé que l'amour de la danse.

Le jour allait se lever et les chaussures des princesses étaient bien usées. Un souper abondant fut alors servi, après quoi les danseurs retournèrent vers le lac.

A nouveau, les princesses traversèrent le bois aux feuilles parsemées de diamants, puis le bois aux feuilles saupoudrées d'or, et enfin le bois aux feuilles pailletées d'argent. Michel cassa une petite branche argentée, comme preuve de ce qu'il avait vu.

Line tourna la tête au bruit de la branche cassée.

— Quel est ce bruit ? demanda-t-elle.

— Ce n'est rien, sans doute un animal qui court vers sa tanière, lui répondit sa sœur aînée.

Tandis qu'elles parlaient, Michel s'arrangea de manière à passer devant les douze sœurs, et fut le premier à atteindre la chambre des princesses. Il ouvrit toute grande une fenêtre et glissa le long de la vigne qui s'accrochait solidement au mur du château. Le soleil se levait, et Michel se dirigea vers le jardin pour y accomplir son ouvrage de la journée.

Ce jour-là, en composant les bouquets des princesses, Michel dissimula la branche aux feuilles argentées dans les fleurs destinées à Line. Lorsqu'elle s'en aperçut, la princesse fut très surprise mais ne dit rien à ses sœurs.

Le soir venu, les douze princesses retournèrent au bal. Michel les suivit et traversa le lac dans le bateau de Line. Le prince qui ramait se plaignit du poids inhabituel de l'embarcation. “Ce doit être la chaleur, j'ai un peu chaud, moi aussi,” lui répondit Line.

Ce soir-là en dansant, Line chercha le jardinier, mais ce fut en vain car il ne semblait pas être là.

Sur le chemin du retour, Michel cassa une branche dans le bois aux feuilles saupoudrées d'or. Cette fois, l'aînée des princesses entendit la cassure de la branche, mais Line la rassura : “Ce n'est rien, juste un animal qui court vers sa tanière.”

L'après-midi suivante, Line trouva la branche saupoudrée d'or dans son bouquet. Elle laissa ses sœurs retourner au palais, resta sur la terrasse et se tourna vers le jardinier.

— D'où vient cette branche ? lui demanda-t-elle.

— Votre Altesse le sait bien, lui répondit Michel.

— Ainsi, vous nous avez suivies ?

— Oui, Princesse.

— Nous ne vous avons jamais vu. Comment avez-vous fait ?

— Je me suis caché, répondit Michel.

Line resta silencieuse un moment, puis elle lui dit : "A présent que vous connaissez notre secret, vous devez le garder." Elle lui jeta une bourse pleine de pièces d'or. "Voici la récompense de votre silence," lui dit-elle encore.

Mais Michel s'éloigna sans ramasser la bourse.

Les trois nuits suivantes, Line ne remarqua rien d'inhabituel. Cependant, la quatrième nuit, elle entendit un bruissement dans le bois aux feuilles parsemées de diamants. Ce jour-là, une branche de diamants éclairait son bouquet.

Elle prit Michel à part et lui demanda brusquement :

— Savez-vous ce que mon père a promis à qui découvrirait notre secret?

— Je le sais, Princesse, lui répondit Michel.

— Avez-vous l'intention de le lui révéler ?

— Non, je n'en ferai rien.

— Mais pourquoi ? demanda encore Line.

Michel demeura silencieux.

Les sœurs de Line, l'ayant vue parler au jardinier, se moquèrent d'elle : "Pourquoi ne l'épouses-tu pas ? Tu pourrais t'occuper du jardin, toi aussi, et l'aider à nous apporter nos bouquets chaque jour !" Leurs railleries troublèrent profondément Line qui décida de tout raconter à sa sœur aînée.

— Comment ! Pourquoi avoir attendu si longtemps pour me parler ? Nous devons nous débarrasser de lui.

— De quelle manière ?

— Et bien, en le jetant dans les oubliettes du donjon, bien sûr.

Line persuada sa sœur d'en parler aux autres princesses, car elles devaient décider ensemble du sort du jardinier. Elles tombèrent toutes d'accord avec l'aînée pour jeter Michel dans les oubliettes.

Line étonna alors ses sœurs en leur déclarant que si ce sort était réservé à Michel, elle dévoilerait à leur père le secret des chaussures usées.

Elles décidèrent alors d'inviter Michel à les accompagner au bal. A la fin du souper, elles lui offriraient le breuvage qui l'ensorcellerait commes les autres jeunes gens.

Cependant, Michel travaillait sous la fenêtre et n'ignora bientôt plus rien du plan qu'avaient imaginé les princesses. Il décida alors d'affronter tous les risques pour essayer de gagner cette nuit-là le cœur de Line. Il était même prêt à boire le breuvage magique et à se sacrifier pour celle qu'il aimait.

De retour dans sa chambre, ce soir-là, Michel trouva une invitation pour le bal épinglée sur un magnifique habit de soirée.

Les douze princesses montèrent se coucher. Michel les suivit, invisible sous sa cape. Il ne traversa pas le lac dans le bateau de Line, mais courut à travers les bois, embarqua dans celui de la sœur aînée et arriva le premier au palais. Il cacha la cape dans les buissons et apparut à la porte comme par magie afin d'accueillir les princesses. Elles dansèrent tour à tour avec lui, ravies par son charme et son élégance.

Puis enfin, il dansa avec Line. Malgré son sourire un peu triste, elle fut pour lui la plus exquise des danseuses.

La musique du bal s'arrêta lorsque les chaussures des princesses furent usées, et tous les danseurs prirent place à la table du banquet. Comme invité d'honneur, Michel présidait le souper, ayant à ses côtés Line et l'aînée des princesses.

On servit des mets et des vins délicieux, et les douze sœurs prirent grand soin de Michel. A la fin du souper, l'aînée des princesses fit un signe. Un page apporta alors une large coupe d'argent qu'il présenta au jeune homme.

Michel jeta un dernier regard à la jeune princesse, prit la coupe et la porta à ses lèvres. “Ne buvez pas !” s'écria soudain Line. “J'aime encore mieux devenir l'épouse d'un jardinier.”

Michel vida aussitôt le contenu de sa coupe sur le sol. Il s'agenouilla aux pieds de Line et lui baisa la main. Tous les princes furent alors délivrés de leur enchantement, et s'inclinèrent devant les princesses. Le sort était brisé.

Conduits par Line et Michel, princesses et princes embarquèrent pour traverser le lac, puis reprirent le chemin qui passait par les trois bois merveilleux. Lorsque tous eurent franchi la porte du passage secret, un sourd grondement s'éleva derrière eux, comme si le palais enchanté disparaissait sous terre.

Michel et les douze princesses se rendirent chez le roi, qui déjeunait dans ses appartements. Il fut très surpris de voir ses filles accompagnées du jardinier. Michel lui montra la coupe d'argent et révéla le secret des chaussures de bal usées.

— Est-ce vrai ? demanda le roi à ses filles, car il n'était pas homme à croire aux capes magiques ou aux palais enchantés.

Les douze princesses durent bien reconnaître devant leur père que Michel disait la vérité. Le roi, étonné par l'intelligence de Michel, lui dit :

— Très bien, je te donne en mariage l'une de mes filles, laquelle aura ta préférence ?

— Mon choix est déjà fait, répondit Michel, offrant sa main à Line, la plus jeune des princesses.

Dès le lendemain on célébra le mariage, et le roi déclara que plus tard, Michel hériterait du royaume. Après tout, Line ne deviendrait pas l'épouse d'un jardinier... bien au contraire, Michel deviendrait roi !